Colección *Juvenil.es*
LECTURAS GRADUADAS

HACIA AMÉRICA 1
El viaje

Flavia Puppo

I

II

III

IV

V

VI

VII

VIII

IX

X

100 puntos

Colección *Juvenil*.es
LECTURAS GRADUADAS

A mi abuela.

Primera edición, 2010

Produce:
SGEL – Educación
Avda. Valdelaparra, 29
28108 Alcobendas (MADRID)

© **Del texto y las actividades:**
Flavia PUPPO
© **De la presente edición:**
Sociedad General Española de Librería, S. A., 2010
Avda. Valdelaparra, 29 – 28108 Alcobendas (Madrid)

Edición:
Aurore Baltasar
Diseño de colección y maquetación:
Alexandre Lourdel
Ilustraciones:
Pablo Torrecilla
Grabación:
Sounders Creación Sonora

ISBN: 978-84-9778-578-5
Depósito legal:
Printed in Spain – Impreso en España

Imprime Gráficas Rógar, S. A.

◄ 1   Una lluvia fina y persistente cae sobre Oviedo.[1] Eva sabe que no puede salir a dar un paseo en bicicleta con ese tiempo y que es inútil insistir. Además, sus padres se han ido de viaje este fin de semana, y ella y su hermana Sonia se han quedado en casa con sus abuelos. Y sus abuelos no la dejan salir.

«Son las cuatro de la tarde y parecen las ocho», piensa Eva mirando el cielo oscuro, cubierto de gigantescas nubes negras. A lo lejos, se oye un trueno.[2]

Su abuela Felisa está preparando un bizcocho[3] para la merienda, Sonia está navegando por internet, su abuelo está leyendo el periódico y ella... No sabe qué hacer ni dónde estar. Odia la lluvia con todas sus fuerzas, pero vive en una ciudad donde llueve mucho.

Sabe que está de mal humor. Coge el teléfono:

—¿Sí? ¿Puedo hablar con Luz, por favor?

—¡Soy yo!

---

[1] Oviedo: Ciudad del norte de España. Es la capital del Principado de Asturias.

[2] Trueno: Sonido que se produce en una tormenta.

[3] Bizcocho: Es el pastel más simple: harina, azúcar, mantequilla y huevos.

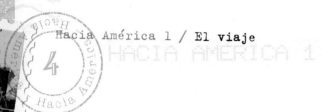
—Ah, hola. ¿Te quieres venir a comer un bizcocho buenísimo a casa?

—Vale, pero no puedo dejar solo a Chus…[1]

—Pues venís los dos. ¿A las cinco?

—De acuerdo. Chao.

—Chao.

Luz escribe una nota para sus padres:

> *Estamos en casa de Eva.*
> *No podemos perdernos el bizcocho*
> *de la abuela Felisa.*
>
> *Besos,*
> *Luz*

Luz y Jesús llegan a las cinco y cuarto y el humor de Eva no ha mejorado mucho. La lluvia fina es ahora simplemente lluvia, abundante y persistente.

—¿Dónde dejamos los paraguas?

Felisa sale de la cocina al oír el timbre y entra en el vestíbulo.

—Buenos días, reina[5] —dice acercándose a Luz para darle un beso. He preparado bizcocho.

—Sí, lo sé… —admite Eva algo tímida.

---

[1] Chus: Diminutivo de Jesús.

[5] Reina: Forma cariñosa de dirigirse a una chica o mujer.

—Y este caballero,[6] ¿quién es? —pregunta la abuela.

Eva permanece en silencio. Sabe que no va a poder hablar de sus cosas con Luz porque está Jesús y le da mucha rabia. En realidad, todo le da rabia.

—Es mi hermano Chus —responde Luz.

Jesús tiene sólo un año menos que su hermana y que Eva, es decir, 12. A Eva le cae bastante mal porque no habla con nadie. Tiene sólo un amigo que es tan raro como él. Se pasan las horas frente al ordenador, corrigiendo las fotos que han tomado. Los Reyes Magos[7] le han traído una cámara digital de última generación y parece que no existe otra cosa para él: ni el instituto, ni los compañeros, ni la familia, ni las chicas.

—Buenas tardes, señora —dice Jesús.

—Llámame Felisa —le responde la abuela—. Podéis dejar las gabardinas[8] aquí y los paraguas allí —continúa Felisa señalando el perchero[9] de madera oscura y el cilindro de metal, lleno de paraguas, que está al lado de la puerta.

Eva los sigue en silencio hasta la cocina.

—¿Tenéis hambre? ¿Os preparo un chocolate caliente? —pregunta Felisa.

---

[6] **Caballero:** Palabra que sólo usa una abuela en este contexto.

[7] **Reyes Magos:** En España los regalos no suele traerlos Papá Noel, sino los Reyes Magos el 5 de enero por la noche.

[8] **Gabardina:** Prenda de vestir que se usa para protegerse de la lluvia.

[9] **Perchero:** Mueble que se usa para colgar ropa. Puede estar en la pared o tener un pie.

6

A Luz y a su hermano se les ilumina la cara.

—Bueno, hambre, hambre, no —dice Eva sonriendo.

—Hemos comido una fabada[10] buenísima —continúa Jesús.

—¡Vaya! ¡Si tiene lengua! —exclama Eva irónica dando un fuerte suspiro.

Jesús se pone rojo de rabia y le responde con una mirada de fastidio.

—Eva, cariño, ¿por qué no llamas a Sonia y a tu abuelo?

Eva sale de la cocina dando un portazo. Luz mira a Felisa.

—Es por la lluvia, me parece —le dice a modo de disculpa.

Cuando el abuelo Agustín y Sonia entran en la cocina, la mesa ya está lista. Saludan a Luz y a Jesús y se sientan.

—¡Qué bien huele! —exclama Agustín mirando a su mujer.

Una enorme jarra de aluminio descansa sobre la mesa echando abundante humo. Felisa les sirve a todos una taza de chocolate espeso y un trozo de bizcocho aún tibio.

Por un momento permanecen todos en silencio, bebiendo y comiendo. Felisa sonríe al ver la cara de satisfacción de sus invitados.

De repente se escucha un trueno tan fuerte que hace temblar el edificio. Sonia se acerca a la ventana y no ve más que oscuridad y agua que cae sin parar. La bombilla de la luz pierde potencia y en breves minutos se quedan a oscuras.

—¡Qué miedo!

....

[10] Fabada: Comida típica asturiana, a base de habas (un tipo de legumbre).

....

Jesús es el único que permanece impasible y sigue comiendo su bizcocho y tomando el chocolate.

A Eva las tormentas le dan miedo y, por una vez en toda la tarde, piensa que tiene suerte de estar rodeada de gente. Agustín la mira fijamente y se da cuenta de su cambio de humor.

—Ahora os voy a contar una historia —dice casi en un susurro que rompe el silencio.

Jesús levanta la vista y le sonríe. Cree que nadie lo ve en la oscuridad de la habitación.

Felisa se pone de pie y abre todos los muebles de la cocina.

—¿Dónde están las velas en esta casa? —pregunta impaciente.

—Ya las busco yo, abuela —le responde Eva muy simpática.

Felisa se sorprende del cambio de humor de su nieta. «Ay, los adolescentes», piensa para sí.

Eva enciende tres velas y las coloca sobre la mesa.

—Te escuchamos, abuelo.

◀2 —Os voy a contar una historia muy antigua —anuncia Agustín.

—¿Es verdadera? —pregunta Luz.

—Creo que sí —dice el abuelo acariciándose el mentón.

La historia empieza en 1936, año muy duro en nuestro país.

—La Guerra Civil[1] —interrumpe Jesús.

—Sí, la guerra aún no ha estallado, pero la situación es muy grave. La gente pasa muchas penurias para poder sobrevivir y dar de comer a sus hijos. Muchas veces comen o cenan, pero no las dos cosas.

Un relámpago[2] ilumina la cocina, seguido de un trueno que mueve los cristales. El abuelo continúa.

Próspero y Palmira tienen una pequeña finca a unos sesenta kilómetros de Oviedo, con algunos manzanos y tres o cuatro

---

[1] España vive una Guerra Civil entre 1936 y 1939. Le sigue la dictadura del general Francisco Franco que dura hasta 1975, año de su muerte.

[2] Relámpago: Luz muy fuerte que se produce durante una tormenta.

vacas viejas que dan muy poca leche. Palmira prepara todo tipo de comidas con manzanas: mermeladas, puré, manzanas asadas. Pronto se encuentra sin imaginación y con sus tres hijos varones hartos[3] de comer siempre lo mismo. Juan, Ignacio y Julio tienen 14, 12 y 10 años respectivamente. Próspero no tiene trabajo y sus ahorros[4] son casi inexistentes.

Una noche, mientras sirve un tazón de caldo a cada uno, acompañado de un pedazo de queso, Palmira anuncia:

—Yo me voy a Argentina a ver a mi hermana.

Los cuatro, incluido Próspero, se quedan con la cuchara en la mano, a medio camino entre el plato y la boca.

—Ya hemos hablado de esto muchas veces —responde Próspero.

—Sí, pero así no podemos seguir. Si queréis venir, el barco sale en una semana del puerto de La Coruña. Sois libres de elegir.

—¿Por qué? —pregunta Julio que está a punto de echarse a llorar.

[3] **Harto:** Significa «cansado».

[4] **Ahorro:** Reserva de dinero.

—Porque hay trabajo, cielo —le responde su madre.

—Y porque allí las cosas están en paz —continúa Próspero.

Palmira y su marido cruzan una mirada de complicidad

—Mañana voy a coger los billetes —anuncia Próspero.

—Hay cinco reservados a mi nombre —le responde su mujer guiñándole un ojo.

—Pero... —susurra Próspero.

—Y ahora... ¡manzanas asadas! —interrumpe Palmira mirando a sus hijos.

—¡Otra vez! —suspiran los tres bajando los brazos.

—La fruta es muy buena, y después a dormir, que mañana hay colegio.

—¿Vamos a ir al colegio? —protesta Juan.

—Hasta el último día —anuncia Próspero.

La semana se hace muy corta. Preparan maletas, dejan la casa en manos de los vecinos, venden las cuatro vacas viejas y regalan bastantes kilos de manzanas. Palmira pide dinero prestado a una tía rica y Próspero a un amigo que no comparte sus ideas políticas. Prometen devolver el dinero muy pronto.

II

III

IV

V

VI

VII

VIII

IX

X

100 puntos

III

◀3   —¿Se llevan toda la ropa, los libros, las cosas? —pregunta Luz.

—No, sólo lo esencial —explica Agustín.

—¿Y pasan frío? —se interesa Eva.

—Sí, mucho frío —le responde el abuelo con una sonrisa: sabe que Eva odia el frío y la lluvia.

De repente, la bombilla se enciende e ilumina la cocina. Felisa mira la mesa y ve que se han comido todo el bizcocho.

—La historia os abre el apetito.

—¿Seguimos? —propone Jesús.

—De acuerdo —responde Agustín.

—Pero, mejor sin luz —dice Jesús mirando a Eva.

Eva y Luz no pueden creer lo conversador que está Jesús. Ha hablado más en dos horas que en toda su vida. Agustín tose dos o tres veces y continúa. Se hace silencio:

El puerto de La Coruña está lleno de gente esa mañana de marzo. Palmira, Próspero y los niños han viajado durante tres días para llegar a tiempo. Sopla un viento helado que atraviesa abrigos y bufandas, gorros y guantes. Además, la ropa que llevan está húmeda. Zapatos y calcetines hacen más el efecto de un congelador que de protección. Las dos enormes maletas también están mojadas, al igual que todo lo que hay en su interior.

La cola de pasajeros parece interminable.

—¿Es usted el último? —pregunta Palmira.

—No, el último es aquel —responde un hombre mientras señala a una persona que está a más de tres calles.

—Gracias —le responde Próspero desanimado.

La fina lluvia empieza a caer hacia las ocho de la mañana y continúa sin parar.

—¿Queréis churros?[1] —propone Palmira mirando a sus hijos.

Sin esperar respuesta llama a una mujer que lleva una cesta en la mano.

—Una docena, por favor.

—¿Azúcar? —pregunta la mujer.

—¡Sí! —responden los niños a coro.

A las dos de la tarde, la familia Bravo se embarca para el puerto de Buenos Aires.

—¿Tienen una habitación en el barco? —quiere saber Luz.

....

[1] **Churros**: Dulces fritos típicos de España y de muchos países de Hispanoamérica.

—No, el billete que tienen no les da derecho a camarote[2] —explica el abuelo.

—Y, ¿dónde duermen? —pregunta Jesús.

—En cubierta[3] —responde Agustín con tristeza.

—¿Al aire libre? —pregunta Eva.

—Sí, y os podéis imaginar todo lo demás. El barco está lleno de… ratas.

—¡Qué asco![4] —grita Sonia.

—Y cucarachas, y suciedad…

—Basta, abuelo, basta —exclama Eva.

Pero poco a poco el tiempo empieza a cambiar y el sol brilla con fuerza. La ropa se seca, la sopa de habas parece calmar más los estómagos, y niños y adultos conocen en el barco a muchos amigos.

Agustín ve que todos suspiran aliviados y sienten también ellos el calor del sol y la alegría del buen tiempo.

—¿Y las ratas? —pregunta Jesús.

—No, las ratas siguen allí. Muchos dicen que el extraño sabor de la sopa…

---

[2] Camarote: Habitación de los barcos.

[3] Cubierta: Parte exterior de un barco, al aire libre.

[4] ¡Qué asco!: Exclamación que expresa disgusto y rechazo.

III
IV
V
VI
VII
VIII
IX
X

100 puntos

Palmira sueña con el mundo de maravillas que le ha descrito su hermana Elisa: una ciudad grande, mucho trabajo, la carne asada. Se imagina a sus hijos en la universidad, doctores, ingenieros, arquitectos o abogados. Sueña con una casa cómoda, con alimentos para cada comida, con una primavera eterna y con un futuro prometedor.

—1, 2, 3… —cuenta Ignacio.

Los niños juegan al escondite y se han hecho amigos hasta de los cocineros, que les permiten entrar en la cocina y esconderse debajo de las mesas.

◀ 4   *Los Díaz son gallegos y viajan también a Buenos Aires. Isa-bel y Juan José son mayores que el matrimonio Bravo, pero tienen una hija de la misma edad de Juan, 14 años.*

   —¡Qué bien le sienta el viaje a esta niña! —comenta su padre observándola a lo lejos.

   —Esta niña nos preocupa, porque no habla con nadie —continúa Isabel.

   —Pues parece que ha cambiado de opinión —comenta Próspero.

   Asunción y Juan se han hecho íntimos amigos y se pasan el día juntos, hablando. Pocas veces aceptan jugar al escondite con los otros niños, y los hermanos de Juan, especialmente Ignacio, le hacen bromas todo el tiempo.

   —¿Por qué no vas a jugar con las niñas? —le dice Ignacio, provocador.

   —¡Tú eres imbécil! —le responde Juan.

   Esta conversación se repite varias veces al día. Juan se marcha y sale en busca de Asunción que lo espera siempre en el mismo lugar, en la proa del barco. Para Juan, lo bueno de Asunción es que él puede sentirse bien estando en silencio, mirando el mar. También hablan de libros, de aventuras y de

cómo se imaginan su nueva vida. Y juran no separarse jamás. Ése es su secreto.

❧

El día que cruzan la línea del Ecuador organizan una gran fiesta en el barco. Ese día se bautiza a todos los que lo cruzan por primera vez y a los niños les entregan certificados de bautizo.

Los días pasan y, entre risas, charlas y miedos, se acerca el final del viaje. La expectativa general es enorme, porque casi todos llegan sin saber muy bien qué va a ser de ellos.

—¿Viene la tía a buscarnos? —quiere saber Julio, el más pequeño.

—Creo que sí. Le he escrito y le he dado todos los datos del barco y de su fecha de llegada.

—¿Dónde vamos a dormir? —pregunta Ignacio.

—En casa de la tía. Al menos unos días —responde Próspero.

—¿Y si no viene? —dice Juan.

—¡Claro que viene!

Palmira espera encontrar a su hermana, pero no está segura de encontrarla en el puerto. Abre su libreta y comprueba la última dirección postal que le ha enviado:

Calle San José, 210. Capital.

Cierra la libreta y la mantiene contra su pecho.

—*Eh, arriba todos, ¡mirad eso!* —*grita Próspero una mañana.*

—*¿Qué hora es?* —*pregunta Juan refregándose los ojos llenos de sueño.*

Todos se ponen de pie y miran el paisaje desde la cubierta del barco. Una enorme extensión de edificios grises se levanta ante sus ojos. Están llegando al puerto de Buenos Aires.

Las maletas están cerradas y todos llevan ropa limpia y seca. La temperatura es agradable, ni frío ni calor, y unas pocas nubes que vagan en el cielo indican el final del verano.

El barco tarda una hora más en atracar[1] *en el puerto. A medida que se acerca a la plataforma, se empiezan a distinguir figuras humanas en la inmensa mancha negra y gris. Es la gente que espera la llegada del barco.*

Palmira busca con los ojos la figura de su hermana, pero es una tarea imposible. Hay muchísima gente: todos gritan nombres, lloran, mueven los brazos en señal de saludo y agitan pañuelos de colores.

El descenso del barco es lento. Los Bravo y los Díaz están juntos hasta el último momento. Juan le ha pedido la dirección de su tía a Palmira y se la ha dado a Asunción. Ella ha hecho lo mismo. Los amigos de sus padres viven en:

Calle Santiago del Estero, 251.

---

[1] **Atracar:** Acercarse a tierra.

Quedan pocos pasajeros en el puerto y la tía Elisa no está. Los Díaz han encontrado a sus amigos y se han marchado con ellos, con la firme promesa de seguir en contacto con la familia Bravo. Juan y Asunción se han despedido con lágrimas en los ojos y con un «hasta luego».

—Vamos a la oficina de inmigración —propone Próspero.

La familia Bravo se acerca a la ventanilla y presenta los documentos.

—¿Cuántos son? —pregunta el empleado.

—Dos adultos y tres niños —responde Próspero.

—¿Tienen dónde dormir?

—Mi hermana vive aquí. Ésta es su dirección —dice Palmira mostrándole la libreta.

—Si quieren, pueden tener una cama caliente y un plato de sopa en el Pabellón 3 —anuncia el empleado sin prestar atención a la dirección escrita en la libreta.

—Gracias.

Esa primera noche la familia Bravo duerme y come en el Pabellón 3 del puerto de Buenos Aires. Un inicio muy diferente al imaginado.

V

VI

VII

VIII

IX

X

100 puntos

A la mañana siguiente, Próspero deja a Palmira y los niños en el puerto y se dirige a la casa de Elisa.

—Perdone, ¿la calle San José? —le pregunta a un hombre en la calle.

—Huy, está lejos. Le conviene tomar un tranvía.[1]

Próspero llega a la calle indicada. La puerta del edificio está cerrada. Decide entrar en la cafetería[2] de la esquina y preguntar.

—Perdón, ¿conocéis a Elisa Pérez?

—¿Acaba de llegar? —le dice el hombre que está detrás de la barra.

Por su acento, Próspero se da cuenta de que es gallego.

—Sí, y busco a mi cuñada —responde Próspero.

—Hace varios meses ya que doña Elisa no viene por aquí —le dice el hombre.

Próspero tiene ganas de echarse a llorar.

—No se preocupe, hombre. Con lo lento que es el correo, esto es muy común —le dice para tranquilizarlo.

Próspero sabe que la culpa no es del correo. Desanimado, se dirige hacia la puerta.

—Un momento —dice una voz a sus espaldas.

—¿Sí?

---

[1] Actualmente no existen los tranvías en Buenos Aires.

[2] Cafetería: Hoy en día, le llamamos «bar».

—¿Le interesa trabajar en esta cafetería? Mi empleado se ha ido —le propone el hombre.

Es la primera buena noticia del día. El dinero es poco, pero le parece un milagro tener trabajo.

—¿Y la tía Elisa? —pregunta Eva.

—La tía Elisa parece haberse evaporado. Palmira se dedica a seguir las pistas que le dan. Todos los días tiene una dirección nueva, una persona de referencia, un restaurante al que supuestamente va su hermana. Nada.

—¿Y la policía no la ayuda? —pregunta Jesús con aire de detective.

—La policía tiene muchísimos casos como ése.

—¿Dónde viven? —quiere saber Sonia.

—Gracias al propietario del café, alquilan una habitación. Viven todos juntos, pero por lo menos no tienen que compartirla con más gente. Hay también dos familias italianas y otros españoles.

—¿Todos en un piso? —pregunta Eva mirando el espacio que tiene a su alrededor.

—Sí. Y a eso en Argentina lo llaman «conventillo».

—¿A qué? —interviene Jesús.

—A las casas grandes en las que vive mucha gente en cada habitación.

Próspero empieza a trabajar en la cafetería al día siguiente. Duermen en el puerto hasta encontrar la habitación, cerca de la estación de Constitución.[1] Palmira busca un colegio en el barrio y apunta a sus hijos. Quiere hacerlos estudiar. Los chicos llegan justo cuando empiezan las clases. Con el poco dinero que tienen, Próspero y Palmira compran los guardapolvos,[2] los libros y los cuadernos. Julio va a 5.º, Ignacio, a 7.º, y Juan, a 2.º año de la escuela secundaria. Todos conocen a nuevos amigos, pero Juan piensa en Asunción. La dirección que le ha dado está muy cerca de la cafetería donde trabaja su padre, pero no existe: o hay un error en la calle, o en el número. Juan recorre desde el primer día todos los edificios de la cuadra, pero…

—¿Qué quiere decir cuadra? —pregunta Sonia.

—Es la calle, de esquina a esquina —responde el abuelo.

—Pero… —dice Jesús.

Pero nadie conoce a los Díaz, ni a sus amigos. Juan está preocupado porque la dirección que él le ha dado tampoco corresponde al lugar donde viven. Cada vez que sale a la calle, le parece verla, pero nunca es ella.

Un día, Palmira va a una dirección que le han dado, en busca de su hermana Elisa. Está en el barrio de Caballito.

---

[1] Constitución: Estación de ferrocarril que está en el sur de Buenos Aires.

[2] Guardapolvos: Bata (en general, blanca) que, en Argentina, los niños llevan en el colegio.

—Sí, señora, conozco a Elisa, pero ya le he dicho que ya no vive aquí —dice el portero del edificio.

—¿Y no sabe dónde puedo encontrarla? —pregunta Palmira desanimada y desesperada.

—En el teatro, quizás.

—¿Cómo? —pregunta Palmira con sorpresa.

—Su hermana es toda una celebridad, señora —afirma el portero.

Palmira toma nota de la dirección del teatro y se dirige hacia allí de inmediato. Cuando llega son las once de la mañana, y se encuentra con las puertas cerradas.

—¿Elisa actriz? —se pregunta Palmira.

Le parece imposible, pero decide dejar una nota y pasarla por debajo de la puerta.

Querida Elisa:

Estamos en Buenos Aires y te he buscado por todas partes. Te dejo nuestra dirección que es: Bernardo de Irigoyen, 884.

La cafetería donde trabaja Próspero está en la esquina de San José y Alsina.

Espero tener pronto noticias tuyas.

Te quiere, tu hermana.

Palmira

VI
VII
VIII
IX
X

100 puntos

Palmira pliega el papel en tres y escribe con letra clara y grande:

PARA ELISA PÉREZ

Al pasar por un quiosco ve los titulares del día: en España ha empezado la guerra.

◄7 El abuelo hace un momento de silencio.

—¿Qué hora es? —pregunta Felisa.

Miran el reloj de la cocina, que marca las ocho y media.

—¡Huy! ¡Las ocho y media! —exclama Luz.

—¿Puedo llamar? —pregunta Jesús mirando fijamente a Eva.

—Sí, claro —responde Sonia.

Eva se ha quedado petrificada. «Qué mirada», piensa.

—¿Qué les vas a decir? —le pregunta Luz a su hermano.

—Nada, que no vamos a perdernos el final de la historia…

Jesús llama a su casa. El teléfono está en el recibidor y mientras espera el tono observa atentamente el perchero de madera oscura. Es la primera vez que ve uno así.

—¿Qué te han dicho? —le pregunta Luz al ver que su hermano entra en la cocina.

—Nada, porque no hay nadie —responde Jesús.

Una ráfaga de viento golpea los cristales y la ventana se abre de par en par,[1] dejando entrar un aire helado que arrastra lluvia, igualmente helada.

---

[1] De par en par: Completamente.

VII

VIII

IX

X

100 puntos

Felisa se levanta de golpe para cerrar la ventana.

—¿Me dejas el móvil?[2] —le pide Luz a Eva.

—Sí, claro, aquí lo tienes.

Eva coge su móvil, al lado del fregadero.[3] Ve que hay una llamada perdida y no le hace caso. Le da el teléfono a su amiga.

—Chus, ¿cómo es el número de mamá?

—Ni idea.

—¿Has dejado un mensaje en el contestador[1] de casa? —pregunta ansiosa—. Ellos pueden oírlo.

—No…

—Tú eres imbécil… —grita Luz.

Se levanta, va al salón, llama a su casa y deja un mensaje.

—Bueno, no es tan grave —dice Eva.

Ni ella misma puede creer que está defendiendo a Jesús.

> *Hola, soy yo. Estamos en casa de Eva*
> *y Sonia. Jesús está conmigo.*
>
> *Besos.*

Cuando Jesús ve aparecer a su hermana comenta:

---

[2] **Móvil:** Teléfono celular.

[3] **Fregadero:** Lugar de la cocina donde se lavan los platos.

[1] **Contestador:** Máquina o servicio que permite dejar un mensaje de voz.

—Agustín, ¿seguimos con la historia? Con la luz apagada y las velas, por favor…

Ha pasado un año ya de la llegada de los Bravo a Buenos Aires.

—Abuelo, ¿te estás inventado esta historia mientras la cuentas? —pregunta Sonia.

—Todas las historias son un invento, cielo —concluye el abuelo.

Os decía que estamos ya en 1937 y España sigue en guerra. Ignacio termina la escuela primaria con excelentes notas y empieza la secundaria, Palmira ha encontrado trabajo en un taller de costura y reuniendo los dos salarios pueden pagarse el alquiler de un piso sólo para ellos.

Un día, en el taller, la jefa le pregunta a Palmira si puede entregar un pedido. Ha faltado el recadero[5] y tienen poco tiempo y mucho trabajo. Se trata de un pedido a un particular.

....

[5] Recadero: Persona que se encarga de hacer recados y tareas, de un sitio a otro.

....

En un trozo de papel le escribe las señas,[6] le da el dinero para pagar el tranvía y le dice que ya no tiene que volver, que tiene la tarde libre.

Sopla un aire tibio en Buenos Aires, señal de la llegada del otoño. Palmira va por primera vez al barrio de la Recoleta.[7] Le parece que está en otra ciudad: tiendas elegantes, edificios cuidados, hombres con uniforme y mujeres con largos abrigos de piel y gafas oscuras.

Palmira llega a la calle, comprueba el número y se dispone a subir a la casa Wilde. En las señas que le dan dado pone simplemente 1.er piso.

---

[6] Señas: Nombre y dirección.

---

[7] Barrio de la Recoleta: Barrio residencial céntrico. Por sus edificios, se parece un poco a París.

◀8   *Mientras sube las escaleras de mármol blanco, Palmira piensa que es la primera vez que está en un edificio como ése.*

La puerta se abre y aparece una mujer alta y delgada, vestida de negro.

—*¿Sí? ¿Qué desea? —pregunta.*

—*Traigo un pedido de la sastrería[1] —responde Palmira.*

—*Es usted española… Espere un momento. Voy a llamar a la señora —dice la mujer y desaparece por un largo pasillo.*

Palmira mira todo: los cuadros, el jarrón con flores frescas, el curioso perchero de madera oscura, el espejo de marco dorado y un retrato de la supuesta señora el día de su boda. Justo cuando Palmira se acerca al retrato, escucha los pasos de la mujer en el pasillo.

—*Perdone, pero la señora no se encuentra bien y está descansando.*

—*Bueno, puedo dejarle el paquete ahora…*

—*Sí, pero la señora prefiere ver la ropa con usted.*

—*Vale, puedo volver en otro momento —responde con tono tímido.*

---

[1] Sastrería: Lugar donde se hace ropa.

—Me parece lo mejor —dice la mujer con aire autoritario.

Como tiene la tarde libre, Palmira decide dar una vuelta por el teatro y ver si hay novedades de su hermana.

—¿Elisa Pérez, por favor?

—Tiene usted suerte —le responde un empleado.

—¿Puedo verla?

—Sí, pase, está en su camerino.[2]

Palmira está tan emocionada que siente que el corazón le va a salir por la boca. Mientras recorre la sala del teatro, piensa en las ganas que tiene de abrazar a su hermana. Baja unas escaleras y se encuentra en un largo pasillo lleno de puertas. Mira los nombres uno a uno y se para frente al de su hermana. Da dos golpes en la puerta.

—Adelante —dice una voz.

—Perdone, busco a Elisa Pérez.

—Soy yo.

Palmira se echa a llorar.

—Señora, ¿qué le pasa? —pregunta la mujer acercándose a ella.

—Que usted no es mi hermana —responde Palmira entre lágrimas.

Palmira sale del teatro con los ojos rojos y la sensación de haber perdido el tiempo durante varios meses. «Si la policía

....

[2] **Camerino:** Habitación pequeña donde se visten actores y actrices.
....

dice que no está muerta, ¿dónde diablos está?», se pregunta
mientras camina por Avenida de Mayo.

Luz mira el reloj. Son más de las nueve de la noche. Pide
permiso para llamar a su casa. No hay nadie y empieza a preocu-
parse. Vuelve a intentarlo con el móvil, pero no consigue recordar
el número y después de dos intentos equivocados, deja el teléfono y se sienta. La lluvia sigue cayendo sobre Oviedo y parece
que no va a parar. Viendo la preocupación de su amiga, Eva coge
su teléfono, busca la llamada perdida y pregunta:

—¿El número de vuestra madre es el 629 563 452?

—¡Sí! ¿Cómo lo sabes?

—Porque hay una llamada perdida y…

Luz le coge el teléfono de las manos y marca el número. El
teléfono está apagado o sin cobertura.

—¿Podemos seguir? —propone Jesús.

—¡Qué insensible eres! —le dice su hermana.

—¡Y tú, una exagerada!

—¿Has visto qué noche hace?

—Una noche de lluvia, como muchas otras…

—Tú eres…

—Bueno, basta ya —interrumpe Agustín.

—Si queréis, os acompañamos a casa y buscáis vuestros telé-
fonos y esperáis allí…

En ese momento se escuchan más truenos y la espesa cortina
de agua impide hasta oír las voces. Todos están en silencio.

VIII

IX

X

100 puntos

—Acabamos la historia, ¿os parece? —sugiere el abuelo.

—Vale —dicen todos.

◀9 —¿Y los niños? —pregunta Eva.

—Los niños se adaptan muy bien. Juan tiene 15 años y ha descubierto su vocación de escritor. Llena infinidad de cuadernos con sus impresiones sobre la ciudad y su gente: las calles, el subte, que aquí llamamos metro, los teatros, la radio y el tango. Es un chico muy observador y sus profesores dicen que algún día va a ser un gran escritor.

—¿Y Asunción? —pregunta Sonia.

—La busca siempre y en todas partes. Ha pasado un año y nadie ha tenido noticias de los Díaz. Hasta que un día…

La expectación es general. Agustín continúa:

Un día la ve. O cree verla, entrando en el subte, acompañada de un hombre mayor.

—¿Es su padre? —pregunta Eva.

—No. Grita su nombre, pero ella no responde. Cruza la calle corriendo, baja las escaleras del subte y los ve pasar el molinete y descender hacia el andén.[1] En ese momento, la chica se da la vuelta y se miran fijamente a los ojos.

---

[1] Andén: Plataforma donde se esperan los trenes o metros.

—¿Y? —dice Eva.

—Nada. Juan cree que es Asunción, pero no está seguro. Mira un instante su mano y ve que ella lleva un anillo de oro en el anular izquierdo.

—¿Está casada? —pregunta Luz.

—Sí, posiblemente. Para Juan es su primera decepción amorosa…

—¡Pobrecillo! —exclama Eva.

—¿E Ignacio? —quiere saber Jesús.

—Ignacio es un genio jugando al fútbol y muy pronto se convierte en la estrella del barrio.

—¿Y el peque?[2] —dice Eva.

—¿Julio? Ha crecido mucho y se ha hecho amigo de un niño que se llama Raúl. El padre de Raúl es músico y toca un instrumento raro: el bandoneón.[3] Durante el día da clases de música en el Conservatorio, y por la tarde tiene alumnos en su casa. Para Julio el sonido de ese instrumento es mágico…

Eva y Sonia cruzan una mirada de complicidad. El abuelo toma un vaso de agua y sigue adelante con el relato.

El padre de Raúl es de origen italiano y todos lo llaman «Tano».[4] Vive preocupado por su hijo que es muy mal alumno, hasta que conoce a Julio. Éste va casi todas las tardes a casa de

---

[2] **Peque:** Forma abreviada para referirse al «pequeño».

[3] **Bandoneón:** Especie de acordeón que se usa en el tango.

[4] **«Tano»:** Palabra que designa en Argentina a todos los italianos.

su amigo y hacen los deberes juntos. Un día el padre de Raúl
le hace un gesto:

—¿Podés[5] venir un momento?

—Sí, claro —responde Julio un poco asustado.

—Mirá.[6] Mi hijo saca mejores notas desde que vos lo ayudás.[7] Te propongo un trato: vos seguís[8] ayudando a tu amigo
con los deberes y yo te doy clases de música gratis...

—Pero, señor... yo.

—Trato hecho.[9] Y ni una palabra a nadie —dice el hombre
dándole la mano.

Eva y Sonia vuelven a mirarse con aire interrogativo.

[5] Podés: En Argentina, se usa el pronombre «vos» en lugar del «tú». Equivale a
«puedes».

[6] Mirá: Equivale a «mira».

[7] Ayudás: Equivale a «ayudas».

[8] Seguís: Equivale a «tú sigues».

[9] Trato hecho: Frase que se dice cuando se hace un trato.

X

—Y Julio aprende a tocar el bandoneón, ¿verdad? —pregunta Sonia, mirando fijamente a los ojos de su abuelo.

—Sí, así es —responde Agustín.

El abuelo baja la mirada y continúa.

Estamos en el taller donde trabaja Palmira.

—¿Puede entregar este paquete, por favor? —le pregunta su jefa.

Palmira reconoce el nombre y la dirección de la Sra. Wilde. Han pasado muchos meses y ella no ha vuelto a ir a esa casa.

—¿Tengo la tarde libre? —pregunta, tímida.

—Sí, claro. Y saludos[1] a la señora de mi parte —le responde su jefa.

Palmira sale del taller hacia las dos de la tarde y coge el tranvía. Se baja unas paradas antes para poder pasear por ese barrio tan elegante. Cuando llega al portal, le anuncia al portero su presencia y sube las escaleras de mármol blanco.

---

[1] Saludos: En España se dice «recuerdos de mi parte».

En ese momento Eva ve la luz de su móvil encendida y corre hacia el fregadero.

—Para ti, para ti —grita acercándoselo a Luz.

—¿Sí? ¿Mamá? ¿Estáis bien?

Todos ven que Luz sonríe.

—¡Qué alivio! —comenta.

—¿Qué ha pasado? —pregunta Felisa.

—Han pinchado una rueda y se han retrasado…

—¡Qué exagerada eres! —dice Jesús dando un suspiro.

Palmira sube las escaleras de mármol blanco. La puerta está abierta y se encuentra con la misma mujer de la otra vez: alta, delgada y vestida de negro.

—Buenas tardes. La señora la está esperando. Adelante, por favor.

Palmira se queda de pie en el recibidor y reconoce los cuadros y los muebles.

—Hay un perchero curioso, ¿verdad? —pregunta Jesús mirando al abuelo a los ojos.

—Sí, un perchero, cuadros, un jarrón con flores frescas y un retrato —responde distraído.

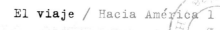
Al igual que la otra vez, Palmira se acerca al retrato. Se trata de una mujer más o menos de su edad, vestida de blanco. Lleva un velo que le cubre parte de la cabeza y de la cara.[2]

«Esta cara me suena», piensa Palmira.

En ese momento vuelve la mujer de negro.

—La señora está descansando y...

—Pues entonces, voy a esperar —anuncia Palmira con aire decidido.

—Pero, ¿cómo se atreve? —dice la mujer levantando la voz.

Palmira se sienta en uno de los sillones. No piensa moverse de allí. De repente se escucha:

—¿Qué es lo que pasa? ¿Qué son esas voces, Rogelia?

La mujer del retrato recorre el largo pasillo y entra en la habitación. Se queda helada.

—¿Palmira? —pregunta en voz baja con los ojos llenos de lágrimas.

—¿Elisa?

Palmira y Elisa se dan un abrazo que dura una eternidad. Rogelia no entiende nada.

—Te he buscado por todas partes —dice Palmira.

—Y yo... Pero lo importante ahora es que nos hemos encontrado.

X

100 puntos

....

[2] Está «vestida de novia», porque es el día de su boda.

Elisa le cuenta a su hermana que se ha casado con un hombre rico y que es feliz. Palmira le habla de sus hijos y de su marido. Y a partir de ese momento va a cambiar la suerte de todos. Y colorín, colorado, este cuento se ha acabado.[3]

Felisa mira el reloj y ve que son casi las diez de la noche. Los chicos se han quedado mudos y Eva, Sonia y Luz han derramado varias lágrimas.

—¡Es una historia preciosa! —comenta Luz.

—Gracias, abuelo —dice Eva mirando a Agustín que también está emocionado.

—Yo tengo una duda —dice Jesús con cara de detective—. El perchero…

—Sí —responde Agustín a secas.

Eva y Sonia se miran un momento.

—Nosotras también tenemos una duda, abuelo… Julio Bravo eres tú, ¿verdad?

—Y el perchero de madera oscura de Elisa es el mismo que está en esta casa —concluye Jesús.

—Puede ser, pero para saber eso, hace falta que os cuente muchos años más de historia —dice Agustín.

---

[3] Frase que se usa para terminar un cuento infantil.

LA GUERRA CIVIL ESPAÑOLA

En 1931 se proclamó en España la II República, con un gobierno laico de republicanos y socialistas que se propuso sacar al país del atraso en el que vivía.

El Parlamento, de mayoría progresista, aprobó leyes sociales que contaron con el apoyo activo de un alto porcentaje de intelectuales, pero con la oposición de la Iglesia, los grandes propietarios y parte del Ejército. El conflicto de intereses alcanzó su punto crítico el 18 de julio de 1936 con la sublevación de la parte del Ejército hostil a la República y sus aliados civiles y eclesiásticos. La guerra se prolongó hasta el 1 de abril de 1939, con el triunfo de los sublevados y sus aliados, y el apoyo de los regímenes fascistas de Italia, Alemania, Portugal e Irlanda, y la derrota y consiguiente represión y exilio de los leales al Gobierno, que contó con el aval de la ex-URSS y México. Países democráticos como Francia, EE UU y Reino Unido no tomaron posición porque estaban preocupados por contener al fascismo y al comunismo europeos.

Durante la Guerra Civil española hubo batallas que anticiparon las de la Segunda Guerra Mundial porque se probaron nuevas tácticas militares y armamento. Madrid, Guadalajara, Teruel, Ebro, son lugares asociados a este conflicto que dejó un saldo de más de 500 000 muertos y una dictadura de 40 años sobre el pueblo español. A este período se lo conoce también con el nombre de Franquismo.

■ **¿Qué sabes de geografía?**

1. **Oviedo es una ciudad…**
   a. española
   b. cubana
   c. argentina

2. **Buenos Aires está en…**
   a. Brasil
   b. Argentina
   c. Chile

3. **Argentina está en…**
   a. América del Norte
   b. América Central
   c. Suramérica

4. **En el norte de España…**
   a. no llueve nunca
   b. llueve mucho
   c. tiene una temperatura constante todo el año

5. **Buenos Aires está en…**
   a. el Río de la Plata
   b. el río Amazonas
   c. el río Paraná

■ **¿Qué sabes de historia?**

6. **Buenos Aires se funda en…**
   a. 1492
   b. 1580
   c. 1900

7. **A Buenos Aires la fundan…**
   a. portugueses
   b. ingleses
   c. españoles

8. La Guerra Civil española empieza en…
   a. 1919
   b. 1945
   c. 1936

9. En la Guerra Civil española se enfrentan…
   a. españoles contra españoles
   b. españoles contra hispanoamericanos
   c. españoles contra ingleses

10. La consecuencia de la Guerra Civil es…
    a. la dictadura de Franco
    b. la República
    c. otra guerra

■ Busca en esta sopa de letras seis palabras relacionadas con la familia.

U	S	T	E	D	A	R	A	M	I
P	O	S	P	A	D	R	E	M	B
S	O	R	T	B	R	I	R	A	T
A	M	P	E	U	Z	I	D	K	I
L	C	A	H	E	R	M	A	N	A
A	I	S	T	L	A	S	M	A	M
P	E	L	L	O	C	H	A	U	P
I	S	T	E	S	M	O	S	C	A
A	S	T	U	T	A	P	I	Ñ	O
E	P	R	I	M	O	C	V	A	M

Horizontales:

11. ....

12. ....

13. ....

Verticales:

14. ....

15. ....

16. ....

■ **Une las siguientes palabras relacionadas con los medios de transporte.**

17. avión	a. vagón
18. barco	b. pedales
19. tren	c. cabina
20. bicicleta	d. carro
21. caballo	e. cubierta

■ **Completa las oraciones con los verbos en presente.**

22. Los Bravo .... *(llegar)* a Buenos Aires en barco.

23. Elisa ya .... *(vivir)* en Buenos Aires.

24. Próspero .... *(empezar)* a trabajar en una cafetería.

25. Durante muchos meses Palmira no .... *(encontrar)* a su hermana.

26. Los Bravo no vuelven a ver a los Díaz porque la dirección no .... *(existir)*.

27. A Ignacio le .... *(gustar)* el fútbol.

28. Julio se .... *(hacer)* amigo de Raúl.

29. Raúl .... *(ser)* mal estudiante.

30. A Juan le .... *(parecer)* ver a Asunción en la calle.

■ **¿Cuáles de estas palabras corresponden a cada personaje?**

hermana – escribir – bandoneón – cafetería – taller de costura
escuela secundaria – malhumor – bizcocho – música – callado
enamorado – fútbol – recado – chocolate – historia – abuelo

31. Próspero: ....

32. Palmira: ....

33. Juan: ....

34. Ignacio: ....

35. Julio: ....

36. Agustín: ....

37. Felisa: ....

38. Eva: ....

39. Jesús: ....

■ En este crucigrama vas a encontrar cuatro palabras del español de Argentina.

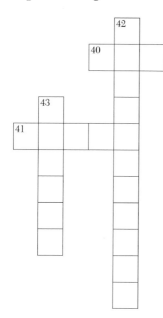

Horizontales:

40. Pronombre que se usa en lugar del «tú».

41. Sinónimo de metro.

Verticales:

42. Calle, de esquina a esquina.

43. Casa donde viven varias familias juntas.

■ Completa las siguientes oraciones usando *y*, *pero*, *para*, *porque* y *por eso*.

44. Los Bravo duermen en un pabellón del puerto .... no encuentran a Elisa.

45. Los Bravo se van de España .... escapar de la guerra y el hambre.

46. Palmira tiene una hermana .... no la encuentra.

47. Julio ayuda a Raúl con los deberes, ... su padre le da clases gratis.

48. Ignacio va a la escuela .... juega al fútbol.

■ Completa las oraciones con pretérito perfecto.

49. La abuela Felisa .... *(preparar)* un bizcocho para la merienda.

50. Eva .... *(invitar)* a su amiga Luz.

51. Luz y Jesús .... *(llegar)* a la hora acordada.

52. El abuelo Agustín les .... *(contar)* una historia de inmigrantes.

53. Los chicos .... *(comer)* todo el bizcocho.

54. .... *(cortarse)* la luz.

55. .... *(encender, ellos)* velas.

■ En cada línea de palabras hay un intruso. Encuéntralo.

56. barco – avión – subte – correos – tranvía

57. escuela primaria – guardapolvos – libros – maestra – cuaderno – puerto

58. hermano – tía – cuñado – abuelo – amigo – padres – primos

59. malhumorado – estudioso – simpático – trabajador – optimista

60. música – tango – partido – bandoneón – clases

■ Completa las conjugaciones de estos verbos en presente.

	Salir	Ir	Dormir	Tener
yo	61.	63.	duermo	68. ....
tú	sales	64.	duermes	69. ....
él, ella, usted	sale	va	duerme	tiene
nosotros/as	salimos	vamos	66.	tenemos
vosotros/as	62.	65.	67.	70. ....
ellos/as, ustedes	salen	van	duermen	tienen

■ Completa las siguientes oraciones con *hay*, *está/están* o *tiene*.

71. En Buenos Aires .... puerto.

72. Oviedo .... una catedral muy famosa.

73. La catedral de Oviedo .... en el casco antiguo.

74. En Buenos Aires .... muchos clubes de fútbol.

75. El barrio de la Recoleta .... en Buenos Aires.

■ Completa las siguientes oraciones que se refieren a la familia.

76. Juan, Ignacio y Julio son ....

77. Juan, Ignacio y Julio son los .... de Próspero y Palmira.

78. Agustín es el .... de Eva y Sonia.

79. Elisa es la .... de Próspero.

80. Juan José e Isabel son los .... de Asunción.

■ **Responde verdadero o falso a las siguientes afirmaciones.**

81. Eva y Sonia pasan el fin de semana en casa de sus tíos. .... ☐ V ☐ F

82. A Eva le gusta salir a dar paseos en bicicleta. ...... ☐ V ☐ F

83. Eva y Sonia preparan un bizcocho para la merienda. .... ☐ V ☐ F

84. Luz tiene un hermano que se llama Jesús. .... ☐ V ☐ F

85. Los Bravo se trasladan a Buenos Aires. .... ☐ V ☐ F

86. Cuando los Bravo viajan, en España ha estallado la guerra. .... ☐ V ☐ F

87. Los Bravo viajan en barco, en un camarote de lujo. .... ☐ V ☐ F

88. Cuando los Bravo llegan a Buenos Aires hay gente que los recibe. .... ☐ V ☐ F

89. Próspero no encuentra trabajo. .... ☐ V ☐ F

90. Elisa es actriz y trabaja en el teatro. .... ☐ V ☐ F

91. Los niños van a la escuela. .... ☐ V ☐ F

92. Palmira trabaja en una tienda. .... ☐ V ☐ F

93. Los Bravo no se adaptan a su nueva vida. .... ☐ V ☐ F

94. Julio aprende música. .... ☐ V ☐ F

95. Juan quiere ser pintor. .... ☐ V ☐ F

96. Palmira no encuentra a su hermana. .... ☐ V ☐ F

97. Juan y Asunción se encuentran en una cafetería. ☐ V ☐ F

98. A Ignacio le gusta mucho el fútbol. .... ☐ V ☐ F

99. En la casa de Elisa hay un perchero muy bonito. ☐ V ☐ F

100. El abuelo Agustín promete continuar la historia. ☐ V ☐ F

SOLUCIONARIO

1. ▶ a
2. ▶ b
3. ▶ c
4. ▶ b
5. ▶ a
6. ▶ b
7. ▶ c
6. ▶ c
9. ▶ a
10. ▶ a
11. ▶ padre
12. ▶ hermana
13. ▶ primo
14. ▶ abuelos
15. ▶ madre
16. ▶ tía
17. ▶ avión – cabina
18. ▶ barco – cubierta
17. ▶ tren – vagón
20. ▶ bicicleta – pedales
21. ▶ caballo – carro
22. ▶ llegan
23. ▶ vive
24. ▶ empieza

25. ▶ encuentra
26. ▶ existe
27. ▶ gusta
28. ▶ hace
29. ▶ es
30. ▶ parece
31. ▶ Próspero: cafetería
32. ▶ Palmira: hermana – taller de costura – recado
33. ▶ Juan: escribir – enamorado – escuela secundaria
34. ▶ Ignacio: fútbol
35. ▶ Julio: bandoneón – música
36. ▶ Agustín: historia – abuelo
37. ▶ Felisa: bizcocho – chocolate
38. ▶ Eva: malhumor
39. ▶ Jesús: callado
40. ▶ vos
41. ▶ subte
42. ▶ cuadra
43. ▶ conventillo
44. ▶ porque
45. ▶ para
46. ▶ pero

47. ▸ por eso	65. ▸ vais	83. ▸ F
48. ▸ y	66. ▸ dormimos	84. ▸ V
49. ▸ ha preparado	67. ▸ dormís	85. ▸ V
50. ▸ ha invitado	68. ▸ tengo	86. ▸ F
51. ▸ han llegado	69. ▸ tienes	87. ▸ F
52. ▸ ha contado	70. ▸ tenéis	88. ▸ F
53. ▸ han comido	71. ▸ hay	89. ▸ F
54. ▸ se ha cortado	72. ▸ tiene	90. ▸ F
55. ▸ han encendido	73. ▸ está	91. ▸ V
56. ▸ correos	74. ▸ hay	92. ▸ F
57. ▸ puerto	75. ▸ está	93. ▸ F
58. ▸ amigo	76. ▸ hermanos	94. ▸ V
59. ▸ malhumorado	77. ▸ hijos	95. ▸ F
60. ▸ partido	78. ▸ abuelo	96. ▸ F
61. ▸ salgo	79. ▸ cuñada	97. ▸ F
62. ▸ salís	80. ▸ padres	98. ▸ V
63. ▸ voy	81. ▸ F	99. ▸ V
64. ▸ vas	82. ▸ V	100. ▸ V

■ EVALUACIÓN

¿Cuántos puntos has sacado? .... puntos.

ENTRE 80 Y 100 PUNTOS: ¡Enhorabuena! Has entendido muy bien la novela y has aprendido mucho español.

ENTRE 40 Y 79 PUNTOS: Analiza los errores y vuelve a leer la novela.

ENTRE 0 Y 39 PUNTOS: Lo siento, pero te recomiendo que leas nuevamente la novela.

Más actividades

1. Elige un personaje y descríbelo físicamente como te lo imaginas.

   Personaje: ....

   Descripción: ....
   ....
   ....
   ....
   ....
   ....

2. Piensa en Buenos Aires en esos años. ¿Cómo es la ciudad?

   ....
   ....
   ....
   ....
   ....
   ....
   ....
   ....

3. ¿Has leído el texto sobre la Guerra Civil española? ¿Por qué no
   escribes un texto similar sobre algún acontecimiento histórico de
   tu país? Puedes usar el presente.

   País: ....

   Acontecimiento: ....
   ....
   ....
   ....
   ....
   ....
   ....